Gallimard Jeunesse / Giboulées sous la direction de Colline Faure-Poirée

© Editions Gallimard Jeunesse, 1996
Premier dépôt légal : novembre 1996
Dépôt légal : mai 2001
Numéro d'édition : 1404
ISBN : 2-07-059680-X
Loi n° 49956 du 16 juillet 1949
sur les publications destinées à la jeunesse

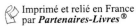 Imprimé et relié en France
par *Partenaires-Livres*®

Luce la Puce

Antoon Krings

Gallimard Jeunesse / Giboulées

Ce soir-là, quand Mireille l'abeille se coucha après une rude journée de butinage, elle eut la désagréable sensation que quelqu'un se trouvait déjà dans son lit. Elle glissa alors furtivement un œil sous ses draps et cria :

– Y a-t-il quelqu'un ?

– Non, dit sèchement une petite voix.

Mireille cria de nouveau, mais plus fort :

– Y a-t-il quelqu'un ?

– J'ai dit non et c'est pas la peine
de hurler, fit la voix cette fois irritée.
Mireille n'en crut pas ses oreilles et
plongea la tête la première sous
la couette pour en ressortir aussitôt
et s'exclamer avec effroi :
– Une puce !
Puis elle se précipita hors du lit et
armée de son balai, y délogea
l'infortunée qu'elle chassa sans aucun
ménagement.

La pauvre puce, qui s'appelait Luce, s'éloigna en marmonnant jusqu'au moment où elle arriva devant la maison de Benjamin. Par une fenêtre entrouverte, elle sauta dans la chambre du lutin qui dormait.

Il avait sur la tête un grand bonnet de nuit rouge orné d'un grelot doré. Comme il ronflait bruyamment, elle se coucha à ses côtés sans le réveiller. Mais Benjamin prenait trop de place et Luce devait le repousser à chaque instant.

Patatras ! Benjamin se retrouva par terre :

– Qu'est-ce que c'est ? s'écria-t-il en secouant la tête de droite à gauche et de gauche à droite. Oh, une puce ! J'ai toujours rêvé d'en avoir une ! J'espère au moins que tu es une puce savante, ajouta-t-il en approchant sa lanterne pour mieux la voir.

— Et puis c'est sans importance si tu restes avec moi, je t'apprendrai mes tours, dit-il en bâillant.

Luce fut si surprise qu'elle resta bouche bée. Finalement, comme le lutin semblait s'assoupir, elle reprit la parole pour lui demander à voix basse :

— Vraiment, tu ne vas pas me chasser ?

— J'ai toujours rêvé d'avoir une puce, répéta-t-il avant de s'endormir.

La puce et le lutin vécurent donc sous le même toit. Très vite, Luce apprit les tours de Benjamin, et plus vite encore ils eurent l'idée de monter un spectacle ensemble.

« Benjamin le lutin magicien et Luce
la puce savante, deux grands artistes
bientôt près de chez vous » pouvait-on
lire un peu partout sur les affiches.
Le soir de la représentation, tout le
monde était là, à commencer par
Mireille qui raffolait du cirque.
Le rideau s'ouvrit et Benjamin fut
très applaudi.

Après quelques tours de passe-passe, Luce entra en scène et fit son numéro d'équilibriste sur un fil d'araignée. Elle enchaîna avec une grande roue et, après une série de pirouettes acrobatiques, elle exécuta le triple saut périlleux de la puce. Ce fut un triomphe, si l'on en croit le tonnerre d'applaudissements qui suivit.

Les acclamations des petites bêtes du jardin parvinrent jusqu'aux oreilles de Maximo Spaghetti, directeur du plus grand cirque du monde. Il voulut engager Luce la puce sur-le-champ pour une tournée mondiale.

– Jé férai dé toi oune grande védette.

– Et Benjamin aussi ? demanda Luce.

– Ah non, jé né pas bésoin dou nain.

Luce refusa alors l'offre de Maximo qui s'en alla fâché pour toujours.

C'est ainsi que nos deux artistes
continuèrent à vivre ensemble.
Benjamin fabriqua une petite
roulotte. Luce confectionna
une grande tente, puis ils firent
une longue tournée dans les jardins
des environs. Et ils eurent encore
beaucoup de succès.

Alors, si dans votre jardin, vous apercevez une affiche pas plus grande qu'un timbre-poste, regardez bien, c'est sûrement Luce et Benjamin. Pour les applaudir, il vous faudra rapetisser, rapetisser jusqu'à atteindre la taille d'une souris. Et ainsi vous pourrez entrer sous le chapiteau du plus petit cirque du monde.